ALOHA, SCOOBY-DOO! ™

ISBN 0-439-95849-0

Titre original : Aloha, Scooby-Doo!

Conception graphique de Louise Bova

Édition publiée par les Éditions Scholastic, 175 Hillmount Road, Markham (Ontario) L6C 1Z7

5 4 3 2 1   Imprimé au Canada   05 06 07 08

ALOHA, SCOOBY-DOO!

ADAPTATION DE SUZANNE WEYN
D'APRÈS LE SCÉNARIO DE TEMPLE MATHEWS
TEXTE FRANÇAIS DE FRANCE GLADU

Éditions SCHOLASTIC

Chapitre 1

Des vagues gigantesques viennent se fracasser contre le rivage sablonneux. Le soleil de l'après-midi brille sur la petite ville hawaïenne de Hanahuna. Sur la plage, les amateurs de surf se préparent pour le concours du Grand Kahuna de Hanahuna. Chaque année, les participants se laissent porter par les immenses vagues, puis l'on couronne le meilleur surfeur de l'île.

Le vainqueur de l'année dernière, un jeune homme de la région appelé Manu, sort de l'eau au pas de course en tenant bien haut sa planche de surf. Nina, sa petite amie, se précipite pour l'accueillir.

— Salut, mon Grand Kahuna! s'exclame-t-elle en l'embrassant.

Un autre surfeur de la région, aux épaules larges et au corps très musclé, vient les rejoindre : on le surnomme Petit Jim.

— Il y a beaucoup trop de surfeurs du continent qui participent au concours, cette année, se plaint Petit Jim. Les esprits de l'île vont se mettre en colère!

Un groupe de surfeurs venus de la Californie a entendu ses propos.

— N'essaie pas de nous faire peur avec ton charabia des îles! lance l'un d'eux d'un ton moqueur.

En poussant des hourras et des bravos, ses compagnons et lui saisissent leurs planches de surf et s'élancent sur le sable en direction des vagues.

Manu, Nina et Petit Jim observent les surfeurs qui, un à un, se dressent sur leur planche pour montrer leur savoir-faire. Après quelques minutes, Manu se désintéresse d'eux, prend sa planche et la porte jusqu'à la hutte de surf la plus proche. Petit Jim et Nina restent sur la plage à regarder les surfeurs.

Tout à coup, un grondement assourdissant se fait entendre. Il provient du Mont Pulanana, un volcan situé à proximité. Le cratère du volcan crache des nuages de fumée. Le sol se met à trembler et des hurlements aigus et terribles s'élèvent dans la forêt tropicale derrière la plage.

Petit Jim et Nina essaient de voir d'où viennent ces affreux cris. Ils se rendent vite compte qu'il s'agit en fait d'une quantité de petites voix haut perchées qui scandent des paroles étranges : « Wikki Tikki! Wikki Tikki! »

Soudain, quelque chose surgit du sous-bois. Surprise, Nina fait un saut en arrière. C'est une petite créature bizarre qui ne mesure pas plus d'un mètre. Ses dents pointues et son visage effrayant lui donnent l'air de porter un masque de bois sculpté. Vêtue d'une jupe de feuillage, elle tient une lance menaçante.

— Wikki Tikki! crie-t-elle.

Une autre petite créature étrange apparaît, puis une autre... et encore une! La plage est bientôt remplie de ces êtres miniatures criant : « Wikki Tikki! Wikki Tikki! » Certains portent des lances, d'autres tiennent des massues ou agitent de minuscules haches.

Se retournant brusquement, Petit Jim constate que cinq ou six d'entre eux s'apprêtent à attaquer Nina, toujours debout près de la hutte de surf.

— Nina! Attention! hurle-t-il.

Nina, qui a entendu son avertissement, jette un regard du côté des créatures. Elle tente de s'enfuir, mais elle trébuche. Ses yeux s'agrandissent de terreur lorsque les petites créatures l'encerclent.

— Aaaah! crie-t-elle en essayant de les repousser.

Laissez-moi tranquille! Au secours! Au secours!

Petit Jim vole à sa rescousse. Mais les créatures sont d'une rapidité étonnante. Avant que Petit Jim puisse rejoindre Nina, les créatures soulèvent la jeune femme et prennent la direction de la forêt tropicale.

Nina continue d'appeler à l'aide et de se débattre pendant que les petits monstres l'emportent dans le sous-bois.

Manu, qui a reconnu la voix de son amie, sort précipitamment de la hutte de surf.

— Qu'est-ce qui se passe? demande-t-il à Petit Jim. Où est Nina?

Son camarade tremble de tous ses membres en pointant du doigt la forêt tropicale.

— Les petites créatures... elles l'ont enlevée! Les Tikkis... c'est la malédiction... la malédiction du Wikki Tikki!

Chapitre 2

— C'est étrange... On dirait que tout le monde quitte Hanahuna au même moment, dit Fred à ses amis.

En vacances à Hawaï, l'équipe de Mystères Inc. se rend à Hanahuna pour assister au concours de surf du Grand Kahuna. Les cinq copains se sont arrêtés en route pour prendre quelques photos et ont constaté que la circulation s'effectuait dans un seul sens : vers l'extérieur de Hanahuna.

— Mais pourquoi? demande Véra.

Elle plonge la main dans son grand sac fourre-tout et en sort un guide touristique.

— Le guide attribue pourtant une note de huit à l'île de Hanahuna pour son charme! dit-elle.

Un surfeur qui s'éloigne de la ville à vélo entend les paroles de Véra et s'arrête un instant.

— Moi, je lui colle un dix pour la chair de poule qu'elle nous donne! s'exclame-t-il, essoufflé. L'île est envahie par des esprits maléfiques, qu'ils appellent des Tikkis. Vous m'excuserez, mais je me sauve! ajoute-t-il en se remettant à pédaler.

Effrayés, Scooby-Doo et Sammy se serrent l'un contre l'autre. Ils sont censés être en vacances! Ils ne veulent surtout pas rencontrer d'esprit maléfique ici, à Hawaï. Ni même ailleurs, à bien y penser.

— Je doute que des esprits maléfiques existent réellement à Hanahuna, fait remarquer Véra.

— J'ignore de quoi il s'agit, mais je propose d'aller voir ces créatures de plus près – et au plus vite, ajoute Fred.

Sammy et Scooby se regardent en écarquillant les yeux, puis se tournent vers Fred.

— Attends! lui dit Sammy. Si j'ai bien compris, il se passe des choses étranges à Hanahuna, et toi, tu veux aller voir ça de plus près? Alors, tu nous enverras une carte postale, à Scooby et à moi, hein?

— Bon, d'accord, réplique Fred. C'est dommage parce que je ne serais pas étonné de trouver ces délicieuses noix macadamias sur l'île de Hanahuna...

Depuis leur arrivée à Hawaï, Sammy et Scooby ont fait la découverte de ces noix et les adorent.

— R'iam, r'iam! déclare Scooby.

S'il y a des noix macadamias à Hanahuna, alors il faut y aller!

L'équipe s'entasse dans sa jeep de location et prend le chemin de Hanahuna. Une fois sur les lieux, les amis s'arrêtent près d'un comptoir à souvenirs installé devant une vieille fourgonnette.

Un homme aux cheveux longs, vêtu d'un t-shirt délavé et d'un jean taillé en bermuda, vend des babioles. Une affiche fixée sur le devant du comptoir porte la mention : *Jimi Moon – Souvenirs*.

— Cet homme pourrait peut-être nous renseigner sur ce qui se passe, suggère Daphné.

— Approchez, approchez! crie l'homme aux passants. Procurez-vous sans tarder un talisman contre le Wikki Tikki! Ne finissez pas vos jours comme sacrifices humains! Achetez une breloque du Wikki Tikki dès maintenant!

Le groupe s'avance vers le comptoir.

— Bonjour. C'est vous, Jimi Moon? demande Fred au marchand.

— Eh oui! répond l'homme.

Fred prend une breloque du Wikki Tikki. On dirait un petit masque de bois hawaïen.

— Qu'est-ce que c'est que ça? demande-t-il.

— Des breloques, répond Jimi. Des talismans qui permettent de tenir le Wikki Tikki à distance.

— Et qu'est-ce que c'est, un Wikki Tikki, au juste? interroge Véra.

Jimi pointe du doigt le volcan qui domine la ville.

— Tout le monde sait que le Wikki Tikki est un esprit ancien qui vit sur le Mont Pulanana.

Sammy sent sa gorge se serrer.

— Un... esprit ancien? bredouille-t-il.

— Ouais! On dit qu'il a dix mille ans, à un ou deux jours près. Et il faut l'apaiser! précise Jimi.

— L'apaiser? demande Fred. Mais comment?

Une voix derrière eux répond à sa question :

— Par un sacrifice.

Les amis se retournent et aperçoivent Manu. Sammy se laisse tomber dans les pattes de Scooby.

— Un sa... un sasa... un sacrifice? demande-t-il d'une voix tremblante.

— J'en ai bien peur, dit Manu. La légende raconte qu'il y a longtemps, les gens de cette île ont apaisé le grand Wikki Tikki en lançant l'un des leurs dans le volcan, en guise de sacrifice.

— Hé! s'écrie Fred en se rapprochant de Manu. Je te reconnais! Je t'ai vu dans le magazine *Surf*. Tu es Manu Taiama, le Grand Kahuna de Hanahuna! Génial!

Manu secoue la tête avec tristesse.

— Le surf n'a plus beaucoup d'importance pour

moi, à présent, dit-il.

— C'est vrai, ajoute Petit Jim, qui vient rejoindre son ami. Vous penseriez sûrement la même chose si votre petite amie avait été enlevée et lancée dans un volcan.

Manu jette un œil furieux à Petit Jim.

— Désolé, Manu, mais... c'est la vérité, dit Petit Jim en se tournant vers le groupe. Le Wikki Tikki a envoyé ses petits assistants malveillants, les Tikkis, en guise d'avertissement. Ils ont enlevé Nina.

— Vous en êtes sûrs? demande Daphné.

— Bien des gens ont vu l'enlèvement se produire. Nous avons cherché Nina partout... sans succès, explique Petit Jim.

— C'est donc pour cette raison que tout le monde veut fuir Hanahuna, dit Véra.

Une femme à la courte chevelure rousse, portant une chemise et un pantalon imprimés, s'approche du groupe. Elle saisit la main de Fred et se met à la secouer.

— Aloha! dit-elle. Je suis Molly Lamy, mairesse de Hanahuna. Et je puis vous assurer que vous êtes parfaitement en sécurité sur notre île. J'espère que vous assisterez à la fête, ce soir. Elle est organisée par les agents immobiliers de la région. Il y aura un buffet gratuit!

Un buffet gratuit? Il n'en faut pas plus pour convaincre Scooby et Sammy!

— Vous venez de prononcer les mots magiques, madame! lui dit Sammy.

Chapitre 3

Ce soir-là, la bande participe à la fête. Malgré que la peur ait fait fuir bien des gens, il reste encore un grand nombre d'habitants de l'île et de touristes, et la soirée bat son plein.

Des torches éclairent l'endroit, qui a été décoré, pour l'occasion, de masques hawaïens et de filets de pêche. Les tambours des autochtones battent au rythme des mélodies de l'île. Un abondant buffet s'étale sur de longues tables. Scooby-Doo et Sammy sont ravis. Ils s'attaquent à un plateau d'ananas en tranches.

Véra se méfie pourtant. Tout en regardant ses camarades engloutir les fruits tropicaux, elle réfléchit à voix haute :

— Un repas gratuit... Je me demande où est le piège...

— Il n'y a pas de piège, lui dit un homme qui se trouve près d'elle.

Il arbore une chemise tropicale, une grosse montre en or et un large sourire.

— Je me présente : Ruben Laluna, propriétaire de Laluna Immobilier, le principal vendeur de maisons, d'appartements et de propriétés de l'île. Cette soirée est ma façon à moi de vous souhaiter la bienvenue, tout simplement. Et bien sûr, il y aura ensuite une brève présentation qui vous renseignera sur une incroyable occasion immobilière.

Fred voit Manu et Petit Jim parmi la foule et se dirige vers eux, suivi de Véra et de Daphné.

— Est-ce que quelqu'un a vraiment vu ce Wikki Tikki? demande Véra à Manu.

— Il n'est pas nécessaire de l'avoir vu pour savoir qu'il existe, répond Manu.

— Il est en colère contre les gens du continent qui viennent faire du surf sur nos vagues! ajoute Petit Jim.

Ruben Laluna passe en distribuant des brochures d'information sur les propriétés à vendre dans l'île. Petit Jim lui lance un regard furieux :

— Et il en a peut-être aussi contre ceux qui défigurent l'île à leur propre profit! gronde-t-il.

— Ce n'est pas la première fois que le Wikki Tikki

se manifeste, dit Manu au groupe. En 1815, le navire portugais *El Guerrero* a jeté l'ancre près de nos rives. Ses marins n'avaient pas aussitôt mis pied à terre que le Wikki Tikki est devenu fou de rage et a provoqué l'éruption du Mont Pulanana.

— Hum… dit Véra d'un air songeur. Une invasion est une chose, mais un concours de surf en est une autre. L'événement peut-il suffire à mettre un esprit aussi puissant en colère?

— Cet esprit-là doit être hypersensible! fait remarquer Daphné.

Ruben Laluna frappe dans ses mains pour appeler les danseurs de hula. Pendant que ceux-ci exécutent leur danse derrière lui, Ruben pousse une table vers ses invités, sur laquelle un drap recouvre quelque chose. Il retire le drap et dévoile la maquette d'un complexe immobilier.

— Mesdames, messieurs, je vais vous montrer l'habitation de vos rêves! Vous ne pourrez pas résister à l'envie d'acheter votre appartement dans ce nouvel ensemble immobilier, actuellement en vente!

La terre se met soudain à trembler. Tous les regards se tournent vers le Mont Pulanana. Le volcan crache alors un panache de fumée noire, et des flammes jaillissent du cratère.

La foule demeure figée et des murmures effrayés se font entendre.

— Pas de panique, messieurs-dames! dit Ruben Laluna.

KA-TOUNG!

Une minuscule lance lui passe sous le nez à la vitesse de l'éclair, alors que, derrière lui, les arbres et les buissons s'agitent. Il n'y a pas de doute : quelque chose se cache dans la forêt tropicale!

Dans la foule, un homme montre la forêt du doigt.

— Ce sont ces horribles petits Tikkis! crie-t-il.

La panique et la confusion éclatent lorsque les Tikkis sortent des buissons en brandissant lances, haches et massues.

— Wikki Tikki! Wikki Tikki! scandent-ils, comme ils l'ont fait plus tôt ce jour-là.

La foule hurle et se disperse dans toutes les directions.

— Ça alors! s'exclame Véra.

Une des petites créatures a grimpé sur le toit de chaume d'une hutte et y met le feu.

— Sapristi! s'écrie Daphné lorsqu'un autre Tikki tranche un fil électrique au moyen de sa hache, faisant voler des étincelles.

— Oh non! crie Fred.

Des Tikkis ont attrapé Daphné et l'emportent sur

leurs épaules, exactement comme ils l'ont fait avec Nina.

Daphné agite les bras pour tenter de se libérer des affreuses petites créatures. Elle retire le collier de fleurs qu'elle portait au cou et le fait tourner comme un lasso.

— Si vous croyez que vous allez m'utiliser pour un sacrifice, vous vous trompez! hurle-t-elle.

Daphné utilise le collier à la manière d'un fouet et celui-ci s'enroule autour de la cheville du chef de file. Il trébuche et tombe par terre. Les autres Tikkis s'effondrent sur lui. Mais ils se relèvent tous d'un bond en poussant des cris perçants et s'enfuient dans la forêt.

Fred et Véra accourent auprès de Daphné.

— Est-ce que ça va? demande Fred.

Daphné secoue la poussière qui couvre ses vêtements.

— Je crois que oui, dit-elle. Mais regardez! L'un d'entre eux a laissé échapper quelque chose.

À la lueur de la lune, ils distinguent, sur le sol, un collier formé de petits coquillages ronds d'un beige rosé.

Manu et Petit Jim arrivent en courant. Aussitôt que Manu aperçoit le collier, il le ramasse.

— Le collier de coquillages de Nina! s'écrie-t-il.

Fred fronce les sourcils.

— Si nous n'arrêtons pas ces Tikkis au plus vite, c'est toute l'île qui sera menacée.

Chapitre 4

— Je ne comprends vraiment pas! dit Véra, le lendemain, alors que la bande se promène le long de la plage. Pourquoi l'esprit ancien d'un volcan se soucierait-il d'un concours de surf?

— Je n'en sais rien, admet Daphné. Mais nous devons aider Manu à retrouver Nina.

Fred s'arrête pour regarder une longue rangée de planches de surf empilées sur le sable.

— Je crois que la meilleure façon de tirer le grand esprit Wikki Tikki hors de son repaire serait que l'un de nous participe au concours.

Quelques minutes plus tard, Daphné – la seule du groupe à maîtriser l'art du surf – vole sur les vagues telle une championne.

Non loin de là, Véra conduit une embarcation à moteur.

— Aucun signe de Wikki Tikki jusqu'à maintenant, signale-t-elle dans son émetteur-récepteur. Et de ton côté, Fred?

Suspendu à un deltaplane, Fred se laisse porter au-dessus de l'embarcation de Véra.

— Rien encore, répond-il. Et toi, Sammy? Tu vois quelque chose?

Dans un coin verdoyant près de la plage, Sammy et Scooby dégustent une barbotine.

— Aucune trace d'esprit terrifiant dans les parages, dit Sammy. Terminé.

Mais quelques minutes plus tard, les deux amis entendent un bruissement dans les hautes herbes derrière eux. De toute évidence, quelque chose a bougé par là!

— Il est temps de déguerpir, Scooby! dit Sammy. C'est le Wikki Tikki!

Les deux amis s'enfuient à une telle vitesse qu'ils laissent une traînée de poussière derrière eux. La chose qui se trouvait dans les buissons part à leur poursuite en poussant des cris stridents.

— Wiii! Wiii! Wiii!

Sammy saisit une planche de surf dans le sable. Il s'élance dans les vagues pour tenter d'échapper à son agresseur.

— Plus vite, Scooby!

Scooby se met à ramer comme un fou avec ses quatre pattes. Il utilise même sa queue en la faisant tourner à la manière d'une hélice. La planche est propulsée telle une fusée.

— Voilà ce que j'appelle la nage de chien, version améliorée! plaisante Sammy.

Il jette un regard par-dessus son épaule pour tenter de voir qui les pourchassait. Sur la rive, un cochon sauvage renifle le bord de l'eau. Ce n'était donc pas le Wikki Tikki! Sammy rit de son erreur.

— Fausse alerte, mon vieux, dit-il à Scooby. Mais puisque nous sommes dans le secteur, que dirais-tu de glisser un moment sur les vaguelettes?

— R'ooby-r'ooby-r'oo! lance Scooby.

Sammy et Scooby saluent Daphné en passant près d'elle. Ils sont fiers de leurs prouesses sur la planche de surf. Daphné sourit et leur fait un signe de la main.

Soudain, une grosse vague monte derrière les deux amis. Ils décident de s'y mesurer. Pendant qu'ils surfent à l'intérieur, ils aperçoivent un autre surfeur qui se dirige rapidement – mais très, TRÈS rapidement! – droit sur eux.

Ils ne tardent pas à découvrir qui est cet autre surfeur. Et à sa vue, Sammy, terrifié, saute dans les pattes de Scooby!

— GRRRR!

Le géant qui se dresse sur la planche de surf les regarde, puis émet un grondement entre ses dents pointues. Bien qu'il ressemble à un homme de très grande taille, ses yeux rougeoient et tournent dans leurs orbites. Son abondante chevelure a l'allure d'une crinière de bête sauvage. Son corps et son visage sont recouverts de traits colorés.

Il avance sur sa planche, juste à la hauteur de Sammy et Scooby.

— GRRRR!

C'est le Wikki Tikki!

Lorsque l'énorme vague déferle, elle désarçonne Sammy et Scooby, et les jette sur la grève. En sortant la tête de l'eau, ils constatent que le Wikki Tikki est tombé de sa planche, lui aussi.

Sammy repère une moto marine garée au bord de l'eau. Il l'enfourche et démarre. Le mieux serait de capturer le Wikki Tikki pendant qu'il se trouve encore dans l'eau.

À une vitesse fulgurante, le Wikki Tikki nage jusqu'à sa planche et remonte dessus. Il s'éloigne en surfant vers une lagune qui se trouve près de là. Sammy et Scooby le poursuivent.

L'endroit est magnifique et rempli de fleurs. Plus loin, une chute scintillante coule dans la lagune.

Sammy et Scooby se mettent à examiner les alentours. L'esprit Wikki Tikki a disparu!

— Où est-il passé? demande Sammy à Scooby.

Scooby se contente de hausser les épaules.

Alors que Sammy ralentit le moteur de la moto marine, il aperçoit Véra qui se dirige vers eux avec son bateau. Fred plane derrière elle et se pose sur une étroite bande de sable. Surfant sur une vague, Daphné les rejoint. Tous ont vu Sammy partir à la poursuite du Wikki Tikki.

— Où peut-il bien être? demande Daphné.

— Il est certainement dans les parages, déclare Véra. Les gens ne disparaissent pas comme ça!

— Les gens, peut-être pas, dit Sammy d'une voix éteinte, mais les esprits sont capables de tout!

Chapitre 5

Les cinq amis regagnent leur hôtel et se dirigent vers leurs chambres. Arrivés à celle de Fred, près de la piscine, ils trouvent une lance enfoncée dans la porte.

— Regardez, il y a une note, dit Fred.

Il retire la lance, puis en enlève le bout de papier qui y est fixé. Il lit à voix haute :

— *Dégue... issez*? Ce sont sans doute des mots hawaïens. Je me demande ce qu'ils veulent dire...

Daphné et Véra jettent un coup d'œil à la note. Daphné lève les yeux au ciel, puis regarde Fred.

— La lance a laissé un trou, et il manque un « r » et un « p », dit-elle. « Déguerpissez », voilà ce qui est écrit. Comme dans « dégagez », ou « allez-vous-en »!

Sammy se dit que c'est une excellente suggestion.

— Très bonne idée! lance-t-il avec enthousiasme.

Puis il tourne les talons, prêt à quitter les lieux.

Véra examine la lance.

— En voyant les inscriptions hawaïennes anciennes qui figurent sur cette lance, j'en déduis qu'elle provient de notre voisin et ami, l'esprit Wikki Tikki.

— Il s'agit d'un avertissement, ajoute Daphné.

Sammy et Scooby en ont assez entendu. Ils se précipitent sous la table la plus proche, agrippés l'un à l'autre et tremblant de frayeur.

— L'affaire est classée : nous avons bien reçu l'avertissement! dit Sammy aux autres.

Lui et Scooby ont l'impression que l'esprit Wikki Tikki plane au-dessus d'eux, prêt à se manifester d'un instant à l'autre.

Véra aperçoit Jimi Moon à l'autre extrémité de la piscine. Il s'affaire toujours à vendre ses breloques. En s'approchant, elle constate que sa petite caisse déborde d'argent.

— On dirait que les affaires vont bien! commente-t-elle.

Jimi approuve de la tête.

— À qui le dites-vous! Mes talismans se vendent comme des petits pains chauds! Mais aussitôt que je me serai débarrassé de mon dernier lot, je vais tirer ma révérence. Et si vous voulez mon avis, vous avez intérêt à faire comme moi!

Manu, Petit Jim et la mairesse Lamy se joignent à eux. Daphné et Fred s'approchent également.

— Il doit bien exister un moyen d'en apprendre davantage sur le Wikki Tikki, dit Fred.

— Demain, je pourrais vous emmener au sommet du Mont Pulanana, propose Manu.

La bande trouve l'idée excellente et donne rendez-vous à Manu au pied du volcan, le lendemain à l'aube.

Le matin venu, Manu attend le groupe à l'endroit prévu. Les amis arrivent juste au moment où le soleil se lève. Manu les guide à travers un épais feuillage.

— Nous passons d'abord rendre visite à tante Mahina, leur dit-il. Elle vit sur cette montagne. C'est une guérisseuse, et certains racontent qu'elle habite ici depuis plus de cent ans. On dit qu'elle sait tout et qu'elle voit tout.

— Si cette tante Mahina peut nous aider à en apprendre davantage sur le Wikki Tikki, nous serons heureux de faire sa connaissance, dit Daphné.

Plus le groupe monte, plus les grandes feuilles qui se trouvent sur le parcours semblent se multiplier.

— Bon sang! C'est le genre d'horrible endroit où on préfère ne pas se perdre! fait remarquer Sammy.

Manu sort une grande machette de son sac à dos et tranche les plantes qui leur barrent la route.

— Aucun risque, dit-il. Si je suis avec vous, vous ne vous perdrez pas! Nous allons vers le nord. Et c'est sur ce versant de la montagne qu'habite tante Mahina.

Il s'arrête soudain et pose un doigt sur ses lèvres.

— Chut! Vous avez entendu?

Les amis écoutent attentivement.

Sammy et Scooby s'agrippent l'un à l'autre.

— Entendu quoi? demande Sammy.

Aucun bruit ne lui parvient, sauf le cri lointain d'un oiseau.

Manu reste immobile, l'oreille tendue :

— C'est lui…

Sammy et Scooby se mettent à claquer des dents. Sammy arrive à peine à parler :

— Tu veux dire…?

— Oui! Le Wikki Tikki! Fuyons!

Le groupe suit Manu, qui s'est élancé sur le sentier étroit et tortueux. Le jeune Hawaïen jette un regard derrière lui.

— Vite! Il se rapproche! crie-t-il.

Tout à coup, il saute hors du sentier et s'arrête pendant que la bande poursuit sa course. Fred parvient à freiner.

— Hé, mais qu'est-ce que tu fais? demande-t-il à Manu.

Le jeune homme lève sa machette.

— Continuez, ordonne-t-il. Moi, je vais faire tout ce que je peux pour retrouver ma Nina.

Il fait tourner la machette au-dessus de sa tête, puis fonce dans l'épais sous-bois.

— Allez, amène-toi! hurle-t-il à l'esprit Wikki Tikki.

Véra et Daphné cessent de courir et se retournent pour voir ce que fabrique Manu. Elles entendent alors un cri terrible.

— AAAAH!

Fred, Daphné et Véra se précipitent dans les bois pour aider le jeune garçon. Ils écartent les feuilles, mais ne trouvent que la machette de Manu près de quelques branches cassées. Fred aperçoit un bout de tissu accroché à une branche : ce tissu est celui de la chemise que portait Manu. Ils poursuivent leurs recherches dans la végétation hostile, mais peine perdue.

— Il est parti, dit finalement Daphné.

Fred hoche la tête.

— On dirait bien que l'esprit Wikki Tikki l'a enlevé, tout comme il a enlevé Nina, dit-il.

Chapitre 6

— Pauvre Manu! s'écrie Daphné. Nous devons le retrouver!

— Hé! Je parie que la tante Mahina saura où il faut chercher, dit Fred.

— Comment allons-nous trouver tante Mahina? demande Véra.

— Manu nous a dit qu'elle habitait la partie nord de l'île, rappelle Sammy.

— Dans ce cas, c'est très simple, dit Daphné.

Elle grimpe sur le rocher le plus proche et prend un air particulièrement sérieux. Ses cheveux flottent autour de son visage et elle se tourne dans la direction où le vent les souffle.

— Euh, qu'est-ce que tu fais, Daphné? demande Fred.

— Je surveille mes cheveux, répond-elle.

— Ça n'a rien d'étonnant, commente Véra. Tu t'occupes *toujours* de tes cheveux!

Daphné sourit.

— Mais non, idiote! J'essaie de voir de quel côté ils vont. Ça va m'indiquer la direction dans laquelle souffle le vent.

Véra saisit soudain ce que fait Daphné.

— Et comme les vents dominants proviennent du nord de l'île, ça signifie que le nord se trouve par là! dit Véra en pointant du doigt.

— Ça alors! dit Sammy, impressionné.

La bande met un long moment à trouver son chemin parmi les sentiers étroits du Mont Pulanana. Soudain, une vieille maison se dresse au beau milieu de la jungle. De la fumée s'échappe d'une cheminée qui penche. Sur un balcon branlant, une femme corpulente se berce dans une chaise berçante.

— Aloha, les enfants, dit-elle d'un ton accueillant. Qu'est-ce que tante Mahina peut faire pour vous?

Véra s'avance.

— Nous voulions vous parler de l'esprit Wikki Tikki, explique-t-elle.

Les yeux sombres de tante Mahina s'agrandissent.

— Du Wikki Tikki? dit-elle d'une voix aiguë qui trahit sa peur.

— Manu nous conduisait ici lorsque le Wikki Tikki

l'a attaqué et enlevé, raconte Fred.

— Il a pris Nina aussi, ajoute Daphné.

— Il a enlevé Manu et Nina? dit tante Mahina, le souffle coupé.

— Connaissez-vous la raison de ces enlèvements? demande Véra.

Tante Mahina se relève lentement en faisant gémir sa chaise berçante.

— Pour le savoir, je dois consulter les os, dit-elle mystérieusement. Venez.

Les amis suivent la vieille femme sur un sentier qui conduit à un cercle jonché d'os, de perles colorées et de pierres peintes. Tante Mahina allume un feu au centre du cercle. Elle étend ensuite les bras et prononce, dans sa langue, des paroles que le groupe ne comprend évidemment pas. Tout à coup, tante Mahina se met à trembler. Sidérés, les amis l'observent pendant qu'elle appelle l'esprit Wikki Tikki.

— L'esprit Wikki Tikki est en colère! leur dit-elle une fois sortie de ses transes.

— Pourquoi le Wikki Tikki se fâcherait-il pour un concours de surf? demande Véra. Ça n'a aucun sens!

— Il ne s'agit pas d'un simple concours de surf, dit tante Mahina. Le Grand Kahuna de Hanahuna doit absolument être de sang hawaïen! Les anciens s'embarquaient sur de longues planches pour affronter le vent et les vagues en furie, et ils étaient toujours de sang hawaïen!

— Tante Mahina a raison, dit Véra. C'est à Hawaï qu'on a inventé le surf.

— Et à présent, ces gens du continent viennent détruire notre île, poursuit la vieille femme d'une voix empreinte de colère. Le Wikki Tikki crie vengeance! Il va sacrifier Manu et Nina en les jetant dans le volcan!

— Alors nous devons monter là-haut et les sauver, déclare Fred.

— La montagne est trop abrupte pour être escaladée, objecte tante Mahina. Vous devez trouver l'entrée du repaire du Wikki Tikki et passer à travers la montagne.

Scooby et Sammy en ont la chair de poule.

— Vous voulez dire que nous allons traverser des cavernes affreuses et des trucs du genre? demande Sammy.

— Oui, dit tante Mahina. Allez-y maintenant! Il faut savoir affronter le danger avec courage.

Mais alors que les amis s'apprêtent à partir, une délicieuse odeur leur chatouille les narines. Tout de suite, ils reconnaissent cet arôme extraordinaire : c'est celui des noix macadamias.

— Ça sent la tarte aux noix macadamias, dit

Sammy à tante Mahina. Vous en avez fait une aujourd'hui?

— Oui, mon garçon, j'en ai fait une, répond tante Mahina.

Scooby et Sammy se mettent à sauter de joie.

— Formidable! Formidable! lance Sammy.

— R'ouais, r'ouais, r'ouais! crie Scooby en tapant des pattes.

— Et je dois dire qu'elle était délicieuse, ajoute tante Mahina. Tellement, que je l'ai toute mangée.

C'en est trop pour les deux amis. Sammy et Scooby s'évanouissent, sous les ricanements du reste de la bande.

Ils reviennent à eux rapidement, et le groupe se prépare à repartir.

— Pouvez-vous nous expliquer comment sortir d'ici? demande Fred à tante Mahina.

La vieille dame leur indique une route asphaltée, non loin de l'endroit où ils se trouvent :

— Il suffit de prendre la route principale, juste là.

Les amis sont étonnés de constater qu'il existe une route si proche.

— C'est curieux, remarque Véra. Je me demande pourquoi nous avons dû suivre le parcours le plus long pour nous rendre ici…

Chapitre 7

Aussitôt que les amis regagnent le pied de la montagne, ils s'empressent de signaler la disparition de Manu à la police. La nouvelle se répand comme une traînée de poudre.

Ce soir-là, des embouteillages se forment de nouveau sur les routes. Tous cherchent à quitter l'île. Ruben Laluna, debout près de la route, tente d'empêcher ce départ massif.

— Soyez raisonnables, messieurs-dames! crie-t-il à la foule qui passe. Ce n'est pas le temps de fuir!

Sa planche attachée sur le toit de sa minuscule voiture, un surfeur attend, coincé dans la circulation. Baissant la vitre, il répond à Ruben Laluna :

— Vous ne croyez tout de même pas que je vais rester ici pour servir de sacrifice humain!

— Seigneur! Mais qu'est-ce que je vais faire?

gémit la mairesse Lamy, qui arrive à son tour. J'allais poser ma candidature au poste de gouverneur, mais au rythme où vont les choses, ils ne m'éliront même pas comme préposée au ramassage des noix de coco!

— Ne vous en faites pas, lui dit Fred. Nous irons jusqu'au fond de cette affaire!

Les cinq amis n'oublient pas que tante Mahina leur a conseillé de pénétrer dans la montagne pour trouver le repaire du Wikki Tikki. Mais elle ne leur a pas dit où trouver l'entrée.

Ils décident donc d'examiner la lagune où ils ont vu l'esprit Wikki Tikki la dernière fois. Celui-ci devait se diriger vers son repaire lorsque Sammy s'est lancé à sa poursuite.

Les amis se rendent sur les lieux, mais ne trouvent aucune ouverture dans la montagne. Tout à coup, Fred a une idée :

— Et si l'entrée du repaire du Wikki Tikki se trouvait derrière la chute?

— Humm! Une solution évidente, mais, si tu as raison, ce serait efficace comme cachette, dit Véra.

L'équipe se glisse derrière la cascade et scrute l'endroit.

— Il n'y a rien, ici, constate Fred.

— Rien que des rochers, des rochers et encore

des rochers, ajoute Sammy.

À ce moment précis, Daphné glisse et s'écrase lourdement contre l'un des rochers. Aussitôt, une paroi s'ouvre derrière elle.

— Ah! hurle-t-elle en basculant dans l'ouverture.

— Génial, Daphné! s'exclame Fred. Tu viens de nous ouvrir la porte!

— Pourvu que ce ne soit pas un aller simple! se lamente Sammy pendant que tous s'engouffrent à l'intérieur.

Le groupe se retrouve dans une caverne éclairée par des torches vacillantes fixées aux parois. Cet éclairage crée des ombres inquiétantes, et d'énormes toiles d'araignées pendent de partout.

Des petits yeux brillants semblent les observer depuis les coins obscurs de la caverne.

— Oh, oh! dit Véra. Voilà des chiroptères, qu'on appelle communément chauves-souris!

Sammy et Scooby tremblent dans le noir. Le bruit de leurs dents qui claquent résonne dans la caverne.

— Il faut garder le silence, les prévient Véra. Les bruits et les vibrations risqueraient d'effrayer les chauves-souris.

Les amis avancent sur la pointe des pieds. Tout va comme sur des roulettes jusqu'à ce que le nez de Scooby se mette à gratouiller. Scooby se retient aussi longtemps qu'il le peut, mais finalement, il n'en peut plus...

— Aaaaaaaatchoum!

Les chauves-souris sortent aussitôt de leurs cachettes obscures et se mettent à tournoyer. Elles forment bientôt un nuage menaçant au-dessus de la bande.

— Sauve qui peut! crie Fred.

Tous se précipitent en avant pendant que les bestioles volent juste au-dessus de leur tête. Les amis parviennent enfin à sortir de la caverne. Les chauves-souris montent vers le ciel en tourbillonnant et disparaissent.

— Dégueu! s'écrie Sammy. Un peu plus et j'en devenais chauve moi-même!

Les amis sont sur une étroite corniche. Lorsqu'ils regardent en bas, ils se rendent compte qu'ils se trouvent très haut sur le Mont Pulanana. Ils avancent avec précaution, le dos collé à la paroi rocheuse. Quelques minutes plus tard, un nuage de chaleur humide les enveloppe.

— Aïe! On dirait un bain de vapeur, fait remarquer Sammy.

— Il doit y avoir une rivière souterraine près d'ici, suppose Véra. La rencontre entre ses eaux froides et l'air chaud du cratère produit cette vapeur.

Le sentier devient circulaire et les amis arrivent à un escalier de roc taillé sur le flanc de la montagne. L'escalier forme une spirale qui ne cesse de grimper.

— On peut imaginer tout le temps qu'il a fallu pour sculpter ces marches dans la pierre, dit Daphné.

— Les gens qui ont fait ça avaient tout leur temps, explique Véra. J'ai lu que les premiers Hawaïens sont probablement arrivés sur l'île vers l'an 700.

L'équipe interrompt soudain sa montée. Elle vient d'entendre un son familier : des voix aiguës qui scandent : « Wikki Tikki! Wikki Tikki! Wikki Tikki! »

Les voix semblent provenir de plus haut... mais d'en bas aussi!

— Elles viennent des deux directions! s'exclame Véra.

— Nous sommes perdus! dit Sammy dans un souffle.

Les voix se rapprochent. « Wikki Tikki! Wikki Tikki! » Au-dessus du groupe, de minuscules Tikkis apparaissent, armés de leurs lances, de leurs haches et de leurs massues. Les amis descendent les marches de pierre au pas de course, mais une autre horde de Tikkis leur barre la route en bas.

Terrorisé, Scooby s'évanouit et tombe sur le dos dans les buissons. Les arbustes qu'il a écrasés laissent apparaître un sentier.

— Scooby a trouvé une issue! crie Fred.

La bande se précipite dans cette ouverture et fonce sur le sentier. Scooby reprend conscience et s'enfuit à une telle vitesse, qu'il se trouve bientôt à la tête du peloton.

Le soir est tombé pendant que les amis se trouvaient dans la caverne, mais à la lumière du clair de lune, ils peuvent poursuivre leur chemin. Les voix des Tikkis leur parviennent toujours, mais de très loin, à présent.

Soudain, une silhouette se dresse devant eux sur le sentier : le Wikki Tikki!

Chapitre 8

Fred exhibe le talisman à l'effigie du Wikki Tikki que lui a vendu Jimi Moon.

— N'avancez pas! crie-t-il.

L'esprit Wikki Tikki pousse un grondement assourdissant et crache une boule de feu, qui atterrit juste aux pieds des amis. La bande plonge dans les buissons.

— Pour le talisman, on repassera! dit Fred. Mais j'ai une idée.

Il lance son sac à Sammy.

— Sammy, il faut le distraire. Scooby et toi allez enfiler le costume qui se trouve dans le sac.

Mais Sammy secoue la tête.

— Pas question! Nous ne servirons pas d'appât pour le Wikki Tikki – et inutile d'insister!

— Pas même pour un Scooby Snax? demande

Véra en sortant une boîte de ces fameux biscuits.

Sammy et Scooby se croisent les bras.

— Non! dit Sammy en se détournant.

— R'on! ajoute Scooby.

— Même pour des Scooby Snax à saveur de noix macadamias? insiste Véra en agitant la boîte qu'elle a achetée dans un casse-croûte de la région.

Scooby et Sammy regardent la boîte en salivant. Des Scooby Snax aux noix macadamias! Quelle chance!

Quelques minutes plus tard, vêtus chacun d'une jupette de feuilles et d'un haut de bikini formé de moitiés de noix de coco, les deux compères dansent le hula. Sammy joue de la guitare hawaïenne en chantant :

— On va danser, à Hawaï, sous les palmiers, ma chérie…

Le Wikki Tikki fonce droit sur eux. Perchés sur un rocher, Véra, Daphné et Fred jettent un tas de grosses pierres sur lui. Le Wikki Tikki rugit de colère pendant que les pierres atterrissent autour de lui.

Un cri perçant les pousse tous à se retourner. Un peu plus loin sur le sentier, ils aperçoivent Nina. Fred court vers elle et l'attrape par le bras.

— Nina! Est-ce que ça va? Où est Manu?

— Je viens de m'échapper, répond-elle. Mais le

Wikki Tikki tient toujours Manu.

Soudain, le Wikki Tikki bondit vers eux en crachant des boules de feu.

— Suivez-moi! s'écrie Nina.

Les amis s'élancent derrière elle, pendant que des boules de feu s'abattent de toutes part. La jeune fille les conduit dans un dédale de cavernes et de sentiers souterrains, tandis que le Wikki Tikki les poursuit en rugissant et en crachant le feu.

Nina les amène jusqu'à une grotte, au milieu de laquelle se trouve une grande crevasse. La bande jette un coup d'œil au fond de la crevasse : elle grouille de serpents.

— Il vaudrait mieux faire demi-tour et repartir par où nous sommes venus, suggère Daphné.

Juste à ce moment, le Wikki Tikki se laisse tomber par une fente dans le plafond de la grotte et attrape Nina.

— Laissez-la tranquille! hurle Fred.

De sa main libre, le Wikki Tikki repousse Fred, puis s'éloigne à pas lourds en emportant Nina, qui crie et se débat. Une énorme paroi de roc se referme derrière eux et les amis se trouvent pris au piège dans la caverne.

— Il faut chercher une autre issue, dit Fred.

Mais la seule sortie qu'ils peuvent trouver les

obligerait à traverser la crevasse remplie de serpents ondulants et sifflants.

Heureusement, Sammy a une idée. Comme il tient toujours sa guitare, il se met à jouer une mélodie apaisante à la manière d'un charmeur de serpents. Les serpents entrent en transe et se balancent la tête au rythme de la musique. Même la queue de Scooby se met à suivre ce rythme. La bande parvient ainsi à traverser la crevasse aux serpents sur la pointe des pieds et à remonter de l'autre côté.

Les amis ont à peine posé le pied hors de la crevasse qu'ils sont balayés par le courant d'une rivière souterraine, qui les entraîne aussitôt sur un parcours rempli de virages et de chutes. Elle les fait tourbillonner dans une marmite, puis les rejette dans une grande salle souterraine.

— Sapristi! dit Daphné lorsqu'elle et les autres voient ce que contient cette salle.

Une armée de Tikkis les attend! Prévoyant une attaque, les amis se protègent la tête de leurs bras repliés. Mais ils ne tardent pas à constater que les Tikkis restent immobiles. Ils semblent endormis. Avec mille précautions, Véra s'approche d'une table et saisit une télécommande posée dessus.

— Ils ne sont pas endormis. Ils sont seulement

éteints, dit-elle.

Appuyant sur un bouton de la télécommande, elle redonne vie aux petits personnages. « Wikki Tikki », scandent-ils pendant que Véra les fait bouger à son gré, au moyen des commandes.

— Ça alors! Ce ne sont que de petits robots, dit Daphné.

— Oui, mais des robots très perfectionnés, ajoute Véra.

Elle les fait avancer et reculer. Puis elle découvre la façon de les faire tourner à droite et à gauche. Jetant un coup d'œil au dos de la télécommande, elle y lit : *INDUSTRIES TORKLAND*.

— Intéressant, murmure-t-elle.

— Hé! Venez voir! s'écrie Fred.

Il vient de découvrir une cuve géante, plus loin dans la salle. Un tuyau relie la cuve à la bouche du volcan. Fred appuie sur un bouton et aussitôt, de gros nuages de fumée sont expulsés vers le haut.

— Nous sommes au cœur du volcan, dit Véra.

— Ce n'est donc pas de la fumée qui s'échappe du volcan, dit Fred. Ce n'est que de la vapeur que quelqu'un fait monter dans ce tuyau.

Il s'approche ensuite d'une rangée d'énormes haut-parleurs.

— Ces haut-parleurs à basse fréquence sont assez

gros pour faire vibrer la montagne entière, dit-il.

Véra saisit la planche de surf du Wikki Tikki et constate qu'il s'agit non pas d'un modèle ancien, mais plutôt d'un modèle tout à fait récent.

— Cette histoire de volcan en éruption et de Wikki Tikki n'est qu'une histoire pour faire peur à tout le monde, à Hanahuna, conclut-elle.

— C'est aujourd'hui que se déroule le concours de surf, dit Daphné, et j'ai bien l'impression que monsieur Wikki Tikki ne pourra pas résister à l'envie d'y faire son apparition.

— Et avec un peu de chance, ajoute Fred, nous allons pouvoir connaître sa véritable identité.

Les amis découvrent un escalier qui les amène jusque derrière la chute. Lorsqu'ils arrivent à la lagune, ils entendent les gens qui se rassemblent pour le concours de surf. Les concurrents ne sont pas nombreux, puisque la plupart se sont enfuis. Mais il en reste tout de même quelques-uns, qui se préparent à monter sur leur planche.

— Prête à concourir, Daphné? demande Fred.

— Absolument! répond Daphné en souriant.

Les amis ont du pain sur la planche : un défi sportif à relever et l'esprit Wikki Tikki à démasquer!

Chapitre 9

Daphné se félicite d'avoir pensé à enfiler son maillot de bain sous ses vêtements parce qu'elle n'a pas le temps de rentrer à l'hôtel. Lorsque les amis arrivent à la plage, le concours de surf du Grand Kahuna de Hanahuna est sur le point de commencer.

Petit Jim regarde d'un œil noir les quelques surfeurs de Californie qui ont choisi de rester. Sur la plage, Jimi Moon vend des souvenirs et ses faux talismans. Ruben Laluna a installé une maquette de ses immeubles sur une table et la mairesse Lamy est perchée sur une tribune d'où elle pourra surveiller la compétition.

Daphné trouve une planche de surf et rejoint les autres participants dans l'eau. Elle s'apprête à monter sur la planche lorsqu'elle entend les réactions de surprise des spectateurs. Une énorme vague vient de s'élever et un grand surfeur au corps peint de traits de couleur vient d'apparaître en plein centre.

L'esprit Wikki Tikki est arrivé!

Du feu sortant de sa bouche, il circule à toute vitesse parmi les autres surfeurs. Il attrape l'un des concurrents de Californie, l'arrache de sa planche et le lance à l'eau, avant de repartir.

Fred, qui a repris son deltaplane, vole maintenant dans le ciel.

Sur la plage, Scooby et Sammy s'affairent à trouver le meilleur coin pour se cacher. Ils croient avoir déniché l'endroit parfait : la hutte casse-croûte. Mais l'esprit Wikki Tikki surfe jusqu'à la plage et crache une boule de feu sur la hutte. Des flammes en jaillissent.

— Au secours! crient Scooby et Sammy en se précipitant hors de la hutte.

Les deux amis s'emparent d'une planche de surf et se jettent à l'eau, le Wikki Tikki à leurs trousses.

Amorçant une descente, Fred essaie de lancer un filet sur le Wikki Tikki, mais ce dernier l'aperçoit et crache une boule de feu dans sa direction. L'une des ailes du deltaplane s'enflamme et laisse, derrière elle, une traînée de fumée.

Daphné n'a rien manqué de la scène et, en chevauchant toujours les vagues, elle cherche à porter secours à Fred. Elle appuie sur un côté de sa planche le plus lourdement possible et crée ainsi un jet d'eau qui arrose le deltaplane et éteint les flammes.

Le Wikki Tikki a repéré Scooby et Sammy, et se rapproche d'eux, propulsé par une grosse vague. Mort de peur, Sammy le voit venir.

— Cette fois, mon vieux Scooby, dit-il, je crois que nous sommes cuits!

Tout à coup, une armée de petits Tikkis fait son apparition, juchée sur des planches de surf. Les Tikkis encerclent le Wikki Tikki et passent à l'attaque. « Wikki Tikki! » crient-il de leur voix aiguë en se jetant sur lui et en multipliant les coups de lance et de massue.

Sammy est tellement étonné qu'il en oublie de diriger sa planche.

— Attention! crie-t-il.

BOUM! Lui et Scooby heurtent de plein fouet le Wikki Tikki et la troupe de minuscules Tikkis. Tous sont projetés dans les airs!

Le Wikki Tikki retombe droit dans une vague déferlante, qui l'entraîne vers le rivage. Et PAF! Il s'écrase sur le quai!

— Super! lance Fred, tout en se précipitant vers lui avec les autres.

Véra arrive en moto marine, tenant toujours la télécommande trouvée dans le repaire du Wikki Tikki. Elle appuie sur divers boutons pour faire sortir les petits personnages de l'eau.

— Brillante idée, Véra! s'exclame Fred.

— Merci, répond Véra, souriante. Je me suis dit que l'apparition des Tikkis allait distraire le grand Wikki Tikki.

Daphné se joint à eux, sa planche de surf sous le bras.

— Reste maintenant à découvrir qui est le Wikki Tikki, dit-elle.

Chapitre 10

Le Wikki Tikki gît sur la plage, complètement immobile. Les cinq amis l'entourent. Derrière eux, surfeurs et spectateurs se sont rassemblés.

— J'ai trouvé! dit Fred en claquant des doigts. C'est l'agent immobilier, Ruben Laluna. Il faisait peur aux gens pour les pousser à fuir et acheter leurs propriétés à bas prix!

— À mon avis, c'est Jimi Moon qui profitait le plus de la situation, dit Daphné. Je parie que c'est lui que nous allons trouver derrière le masque.

— Moi, je pense que c'est Petit Jim, réplique Sammy. Il a voulu effrayer les gens du continent et leur faire abandonner le concours de surf. Et peut-être qu'il cherchait aussi à se débarrasser de Manu pour devenir le Grand Kahuna de Hanahuna.

— Tante Mahina n'est pas au-dessus de tout

soupçon non plus, dit Fred. L'idée qu'un surfeur d'ailleurs puisse gagner le concours ne lui souriait pas du tout.

— Ce sont là des suppositions très sensées, mais elles sont toutes incorrectes, tranche Véra. Avez-vous remarqué que le Wikki Tikki était un super surfeur? Posez-vous la question : qui est le meilleur surfeur en ville?

Véra soulève le masque du Wikki Tikki. Comme elle l'avait deviné, il s'agit de Manu!

Nina apparaît soudain à leurs côtés.

— Manu! crie-t-elle en se précipitant vers son ami.

Puis s'agenouillant, elle le serre dans ses bras.

— Manu n'a pas vraiment été enlevé, poursuit Véra. Il voulait seulement nous faire croire à un enlèvement. Il a fait semblant de se battre l'autre jour au Mont Pulanana. Il espérait que nous nous perdrions dans la forêt.

— Pas très gentil de sa part! fait remarquer Fred en regardant Manu d'un œil sévère.

— Tu avais raison à propos de cette fraude immobilière, continue Véra. Mais ce n'est pas Ruben qui l'a orchestrée. Ce sont Manu et Nina. Manu connaît toutes les légendes locales. Il s'est déguisé en esprit Wikki Tikki pour effrayer les gens de la région et acheter leurs maisons à prix ridicule. J'ai consulté le bureau d'enregistrement du secteur sur Internet et toutes les propriétés vendues récemment ont été achetées par une certaine Paméla Walua, aussi connue sous le nom de Nina.

Manu se frotte la tête en grommelant. Nina rougit en entendant la suite des explications de Véra.

— Lorsque nous avons trouvé les robots Tikkis, j'ai remarqué que la télécommande avait été fabriquée par les Industries Torkland. Une petite recherche m'a permis de découvrir que Nina avait été spécialiste de la robotique chez Torkland.

Daphné hoche la tête. Tout est clair maintenant.

— Puis elle a fait équipe avec son copain pour réaliser cette petite escroquerie, conclut-elle.

Petit Jim sort de la foule et s'avance vers Manu.

— Comment as-tu pu faire une chose pareille à ton propre peuple? demande-t-il avec colère.

Manu baisse la tête.

— J'avais besoin d'argent, répond-il. Le titre de Grand Kahuna de Hanahuna ne me rapporte rien.

— Tout ce que nous voulions, Manu et moi, c'était de faire du surf, ajoute Nina. Ces propriétés nous auraient rapporté une fortune.

— Oui, dit Manu. Et notre plan aurait fonctionné si votre groupe n'était pas venu se mêler de nos affaires.

Les amis se jettent un regard complice. Combien de fois n'ont-ils pas entendu cette phrase – ou une autre du même genre?

— Tant pis. Au moins, je suis toujours le Grand Kahuna de Hanahuna, dit Manu avec un sourire amer. Personne ne pourra m'enlever ce titre.

La mairesse Lamy s'avance, un trophée à la main.

— Pas si vite, Manu, dit-elle. En ma qualité de mairesse de cette belle ville, je suis heureuse de décerner le trophée du concours de surf au Grand Kahuna de cette année. J'ai nommé... Scooby-Doo!

— R'hein? s'écrie Scooby, bouleversé d'avoir gagné.

Manu est bouleversé, lui aussi.

— Un chien? s'exclame-t-il. Un chien l'emporte sur moi? IMPOSSIBLE!

Il se cache le visage dans les mains pendant que des policiers l'emmènent. La mairesse remet le trophée à Scooby.

— Et en plus du trophée, poursuit la mairesse Lamy, nous t'offrons un approvisionnement d'un an en noix macadamias.

Les yeux de Scooby s'illuminent de plaisir.

— Tu entends ça, mon vieux? lui dit Sammy. Des noix macadamias!

Scooby se pourlèche les babines.

— R'ooby-r'ooby-r'oo! lance-t-il joyeusement.

**Voici d'autres aventures
de Scooby-Doo qui ne manqueront
pas de te plaire.**

Scooby-Doo
et la légende du vampire

Scooby-Doo
et le monstre du Mexique

Il est temps de piéger le Wikki Tikki. Daphné entraîne le monstre sur l'eau.

Enfin, Véra réussit à démasquer le coupable : Manu!

Manu, le nouvel ami de la bande, les conduit dans la jungle, où débutera l'enquête.

Une guérisseuse appelée tante Mahina conseille au groupe de chercher le Wikki Tikki à l'intérieur du volcan de l'île.

Scooby et ses amis ont de la chance : ils se rendent à Hawaï pour leurs vacances!

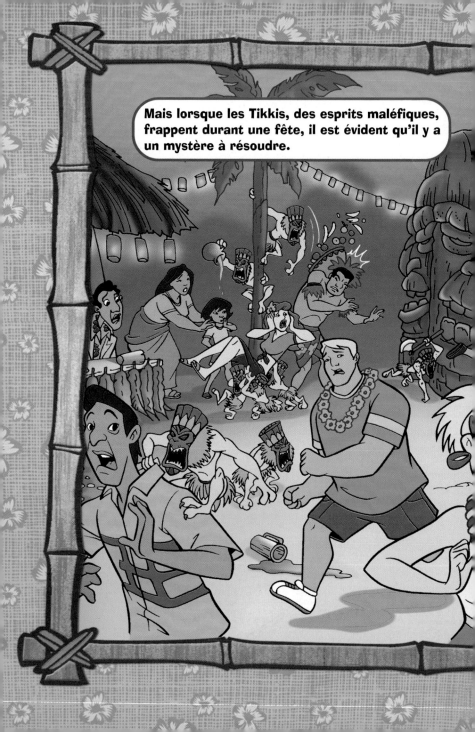